Anna Czerwińska-Rydel

Planety pana Mikołaja

O wielkim astronomie

zilustrowała
Katarzyna Bajerowicz

EDUKACYJNY
EGMONT

Mały Mikołaj obserwuje jajko.
Obraca je. Obroty, obroty, obroty…

Mikołaju, to dobre jajko.
To twoja kolacja.

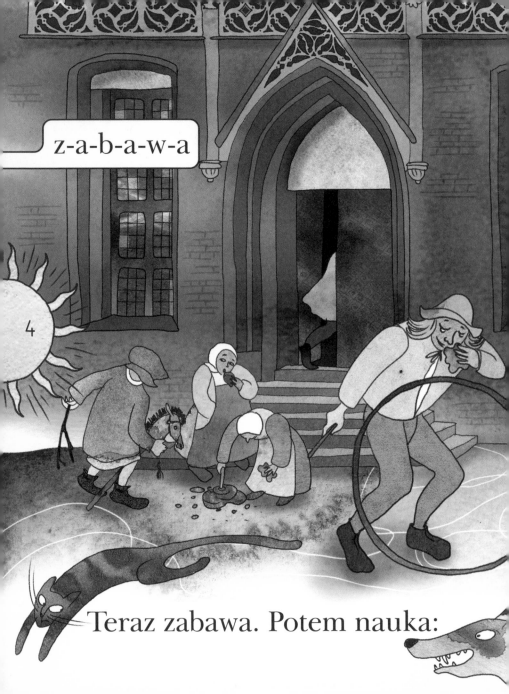

z-a-b-a-w-a

Teraz zabawa. Potem nauka:

lektury, matematyka, muzyka…

6

n-a-u-k-a

Nauka lubi Mikołaja.

Jajko, jabłko, piłka. Obroty, obroty, obroty. Mikołaj obserwuje.

8

Mikołaj jest na balu.

w-i-r-u-j-e

Tata go obraca. Mikołaj
wiruje, tata wiruje, mama wiruje.

Mikołaj obserwuje – jak to jest?

g-ł-o-w-a

11

Ojej, moja głowa... Tam wiruje!

c-e-n-t-r-u-m

Mikołaj stoi w centrum i obserwuje.

On stoi, mama wiruje, tata wiruje, brat wiruje i nawet kot wiruje.

Jak to jest?
Obroty, obroty, obroty…

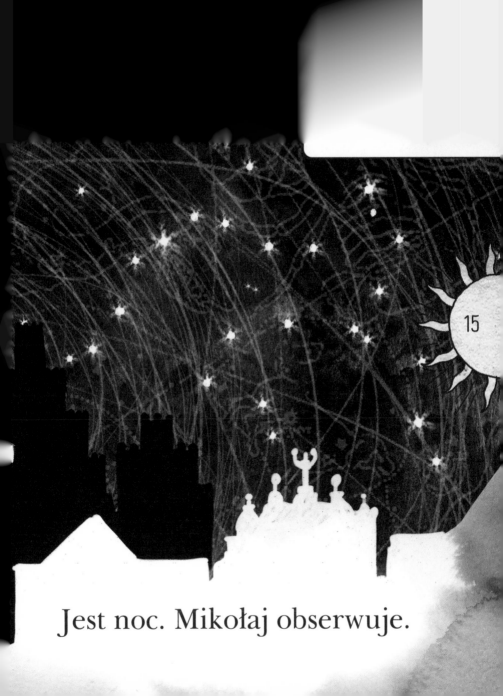

15

Jest noc. Mikołaj obserwuje.

A ta gwiazda wiruje?

p-r-a-c-a

Dla taty to trudne. Jest kupcem.
A gwiazdy to praca astronoma.

a-s-t-r-o-n-o-m

Co robi astronom? Astronom obserwuje.

Lubi to, co Mikołaj.

To klasa Mikołaja.

Planety, gwiazdy, słonko… Mikołaj
to lubi.

Dorosły Mikołaj
to wielki astronom.

t-e-o-r-i-a

Teoria.
Słonko wiruje wokoło nas. Tak?

Mikołaj obserwuje.

s-ł-o-n-k-o

To my wirujemy!
Słonko jest w centrum!

To nowa teoria.
Teoria Mikołaja. Prawda.

Obroty, obroty, obroty…

Mikołaj jest stary.
On nadal obserwuje.

To prawda! On wie! Słonko
stoi w centrum. To my wirujemy!

Stary Mikołaj obserwuje jajko. Jajko
wiruje. Obroty, obroty, obroty…

Czytam
sobie

Ramki ze słowami
do **czytania głoskami**
służą do ćwiczenia
tej ważnej umiejętności
na pierwszym etapie
nauki czytania.

Wysokiej klasy kolorowe
i zabawne **ilustracje**
są harmonijnym
uzupełnieniem
czytanego tekstu. Bawią
i wzmacniają więź z tekstem.

z-a-b-a-w-a

Teraz zabawa. Potem nauka: lektury, matematyka, muzyka…

Tekst znajduje się
na dole strony, dzięki
czemu początkujący
czytelnik może łatwo
**pomagać sobie
palcem** w składaniu
poszczególnych słów.

**Bardzo duża
czcionka** ułatwia
czytanie.

Numeracja stron
pozwala śledzić
postępy w czytaniu
i cieszyć się nimi,
jednocześnie
utrwalając liczenie.